haas

Annemarie Bon
met tekeningen van Gertie Jaquet

sterretjes

◄ 🎒ij▦🕐🚐   Zwijsen

is er peen?
nee.
is er koek?
nee.
is er kaas?
nee.
is er sap?
nee.
is er soep?
nee.
is er pap?
nee.

de peen is op.
de koek is op.
de kaas is op.
het sap is op.
de soep is op.
de pap is op.
en wat is er in de buik van haas?

wat is dit?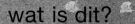

het bos is wit.
de boom is wit.
het hek is wit.
het dak is wit.
de voet van haas is wit.
het oor van haas is wit.
de kop van haas is wit.
de tas van haas is wit.

haas is wit.

rrr, rrr, rrr.

4

ik zoek een sok.
is dit een sok?
nee.
is dit een sok?
nee.
is dit een sok?
nee.

ik zoek een das.
is dit een das?
nee.
is dit een das?
nee.
is dit een das?
nee.

ik weet wat ik zoek!
ik maak een sok.
en ik maak een das.

aan mijn voet een sok.
om mijn nek een das.
maar mijn kop is wit.
en mijn oor is van ijs.
brrr.
brrr.
brrr.

hoor!
dit is voor
dit is voor
dit is voor mijn oor.

wat een mop!
dit moet op
dit moet op
dit moet op mijn kop.

kijk rat!
het is rot voor mij.
mijn peen is op.
mijn koek is op.
mijn sap is op.
mijn soep is op.
mijn kaas is op.
mijn pap is op.

wat is er in mijn buik?

dus koop ik dit.
en koop ik dat.
ik koop het, hup, bij rat.

maar wat is er, rat?

10

ik maak er een voor das.
dan is hij in zijn sas.

ik maak er een voor kip.
wat is zij dan hip.

ik maak er een voor mus.
maar ik moet van haar een kus.

ik maak er een voor vos.
hij is de baas in het bos.

ik maak er een voor rat.
zo, dat was dat!

15

ik zoek in mijn tas.
dit hier is voor das!

tok, tok, tok.
kip, kom uit het hok!

mus, mus, mus.
ik moet mijn kus.

kom maar, rat.
is dit wat?

oo, oo, vos.
hij zit wat los.

hier kan een oor door.
daar kan een oor door.

kom maar op.
doe het in mijn pot.
kijk, kijk, kijk.
ik ben rijk!

17

19

sterretjes bij kern 5 van Veilig leren lezen

na 13 weken leesonderwijs

1. in het bos
Tosca Menten en Jeska Verstegen

2. boe!
Christel van Bourgondië en Josine van Schijndel

3. haas is hip
Annemarie Bon en Gertie Jaquet